Maman!

Il y a un enfant sous mon lit!

Alain M. Bergeron

Maco

Catalogage avant publication de Bibliothèque et Archives nationales du Québec et Bibliothèque et Archives Canada

Bergeron, Alain M., 1957-

Maman, il y a un enfant sous mon lit !

Pour enfants de 4 ans et plus.

ISBN 978-2-89608-093-9

I. Maco, 1977- II. Titre.

PS8553.E674M35 2010 jC843'.54 C2010-940679-6
PS9553.E674M35 2010

Graphisme : Pierre David

Dépôt légal : 2010
Bibliothèque nationale du Québec
Bibliothèque nationale du Canada

Les éditions Imagine
4446, boul. Saint-Laurent, 7e étage
Montréal (Québec) H2W 1Z5
Courriel : info@editionsimagine.com
Site Internet : www.editionsimagine.com

Tous nos livres sont imprimés au Québec.
10 9 8 7 6 5 4 3 2 1

Gouvernement du Québec – Programme de crédit d'impôt pour l'édition de livres – Gestion SODEC.

Nous reconnaissons l'aide financière du gouvernement du Canada par l'entremise du Fonds du livre du Canada pour nos activités d'édition.

Nous remercions le Conseil des Arts du Canada de l'aide accordée à notre programme de publication.

Programme d'aide aux entreprises du livre et de l'édition spécialisée de la SODEC.

À LA PETITE CÉLESTE.
MERCI À ALAIN M. BERGERON ET À SAMPAR
POUR LEUR CONFIANCE.
MERCI À MARTINE DES ÉDITIONS IMAGINE
POUR SA GENTILLESSE.
MACO

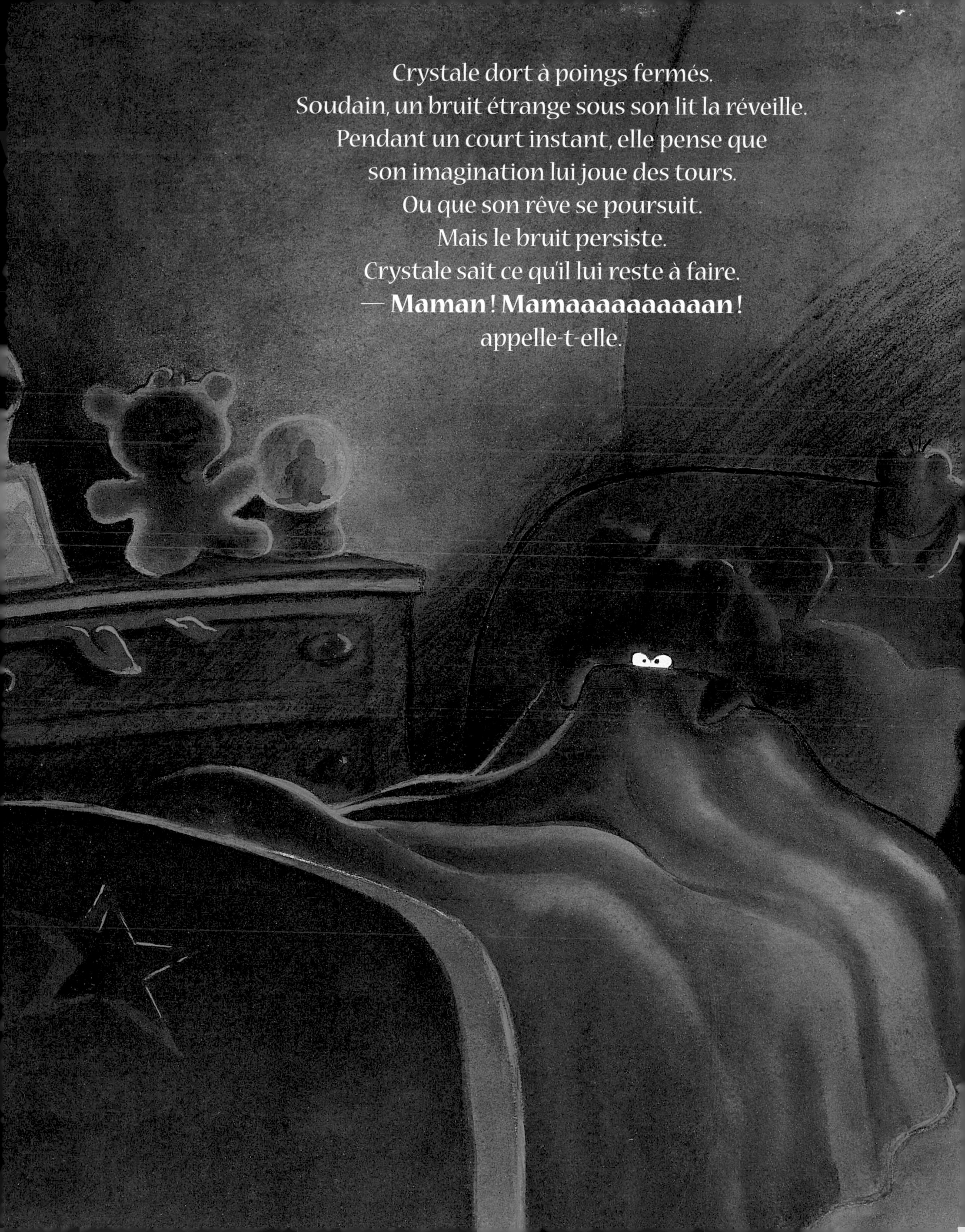

Crystale dort à poings fermés.
Soudain, un bruit étrange sous son lit la réveille.
Pendant un court instant, elle pense que
son imagination lui joue des tours.
Ou que son rêve se poursuit.
Mais le bruit persiste.
Crystale sait ce qu'il lui reste à faire.
— **Maman** ! **Mamaaaaaaaaaan** !
appelle-t-elle.

Dès qu'elle entend l'appel pressant de sa fille,
la mère de Crystale accourt.
Elle commence à en avoir l'habitude.
Les dernières nuits ont été plutôt
mouvementées à cause des cauchemars
de sa petite.
— Qu'est-ce qu'il y a encore, ma chérie ?
— Maman, **IL** est de retour !
La mère de Crystale soupire.
— C'est juste un autre mauvais rêve...
— Non ! réplique Crystale. J'en suis sûre !
Il y a un enfant sous mon lit !

La mère de Crystale
essaie de rassurer
sa fille.
— Les enfants
n'existent que dans ton
imagination, dit-elle.
— Non, maman !
Ils existent à la télé,
dans les livres
et surtout…
sous mon lit !

— Rendors-toi... Tout va bien aller.
Et la mère quitte la chambre de sa petite.

Comment Crystale pourrait-elle prouver à sa mère qu'il y a un enfant dans sa chambre ?

L'odeur, peut-être ?

« Oui ! Ma mère a du flair, songe-t-elle. Elle va sûrement sentir l'odeur de l'enfant. »

— **Maman ! Mamaaaaaaaaaan !**

La mère de Crystale accourt.

— Maman ! Ça pue ici ! Ça sent l'enfant, tu ne trouves pas ?

Sa mère renifle l'air.

— C'est vrai que ça sent drôle, admet-elle. Oh ! Je sais ce que c'est…

Elle tourne ses trois yeux vers sa fille et lui dit d'un ton sévère :
— Ça sent le monstre propre !
Combien de fois faudra-t-il te répéter
de ne pas prendre de bain avant de te coucher ?

Crystale réclame à sa mère un gros câlin
et un bisou sur ses joues.
— Allez, il se fait tard, déclare maman.
Nous devons nous lever tôt demain matin.
Ferme tes trois petits yeux, ma chérie.
Bonne nuit !
Crystale se blottit sous ses couvertures.
— Bonne nuit, maman !

Bonne nuit
Bonne nuit
Bonne nuit

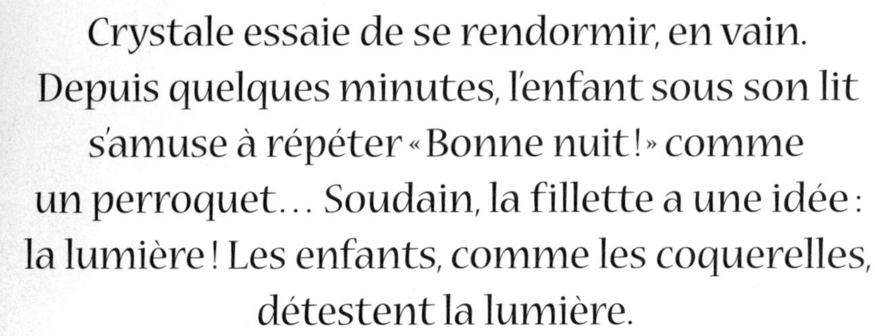

Crystale essaie de se rendormir, en vain.
Depuis quelques minutes, l'enfant sous son lit s'amuse à répéter « Bonne nuit ! » comme un perroquet… Soudain, la fillette a une idée : la lumière ! Les enfants, comme les coquerelles, détestent la lumière.

— **Maman ! Mamaaaaaaaaaan !** Viens allumer ma veilleuse, s'il te plaît !

La mère de Crystale accourt.
Elle accepte la demande de sa fille, convaincue que cela l'aidera enfin à bien dormir.

L'enfant sous le lit attend le départ de la mère de Crystale pour sortir de sa cachette.
Il dit à la fillette :
— Maintenant que ta chambre est éclairée, tu pourras mieux me voir…
— **Maman** ! **Mamaaaaaaaaaan** !
s'écrie Crystale.
Viens vite éteindre la veilleuse !

Un léger gargouillis dans l'estomac de Crystale
lui indique qu'elle a plus faim que peur.
— **Maman ! Mamaaaaaaaaaaan** !
La mère de Crystale accourt.
— Je n'ai pas eu ma collation ce soir, se plaint Crystale.
La mère accepte la demande de sa fille,
convaincue que cela l'aidera enfin à bien dormir.
Elle lui apporte un biscuit aux araignées velues,
la collation préférée de Crystale, puis elle retourne à la
cuisine chercher la sauce piquante aux fourmis rouges.
L'enfant en profite pour sortir de sa cachette.

Il dit à Crystale :
— Il n'y a rien de mieux qu'une collation
pour ouvrir l'appétit... Miam ! Miam !
L'enfant dévore la collation des yeux,
puis s'en empare et la dévore des dents !
Il est déjà retourné se cacher lorsque la mère
de Crystale revient dans la chambre
avec la sauce piquante.
La fillette rend l'assiette vide.
— Maman ? Veux-tu m'apporter un autre biscuit ?
— Non ! répond sa mère.
Si tu manges trop, tu vas rêver aux enfants...

Cette fois-ci, c'est une chanson qui réveille Crystale.
L'enfant sous son lit est en train
de chanter « Frère Jacques ».
— **Maman ! Mamaaaaaaaaaan !**
La mère accourt.
— Maman ! C'est terrible ! s'inquiète Crystale.
IL veut me sonner les matines !
Ding, dang, dong !

Plus tard au cours de cette soirée agitée,
l'enfant propose à Crystale de jouer aux devinettes.
Est-ce un piège pour l'amadouer ?
Crystale l'ignore. Mais comme elle aime les devinettes, elle accepte.
— Sais-tu ce qui est pire que d'avoir un enfant sous son lit ?
demande l'enfant.

Crystale réfléchit…

— Non, je ne sais pas, finit-elle par répondre. Qu'est-ce qui peut bien être pire ?

L'enfant lui sourit et fait soudain semblant de se jeter sur elle :

— C'est d'avoir un enfant sous ses couvertures !

— **Maman** ! **Mamaaaaaaaaaan** ! s'écrie Crystale.

La nuit avance. Tous les jeunes du voisinage
dorment depuis longtemps. Mais dans la chambre
de Crystale, la situation est loin de s'améliorer.

— **Maman ! Mamaaaaaaaaaan !**

La mère de Crystale arrive au bout de quelques minutes
en se traînant les pantoufles sur le plancher.

— Je suis fatiguée, ma chérie !
Il faut que TU dormes ! Il faut que JE dorme !
Je te le répète, il n'y a pas d'enfant sous ton lit.
Pas plus qu'il n'y en a sous le mien !

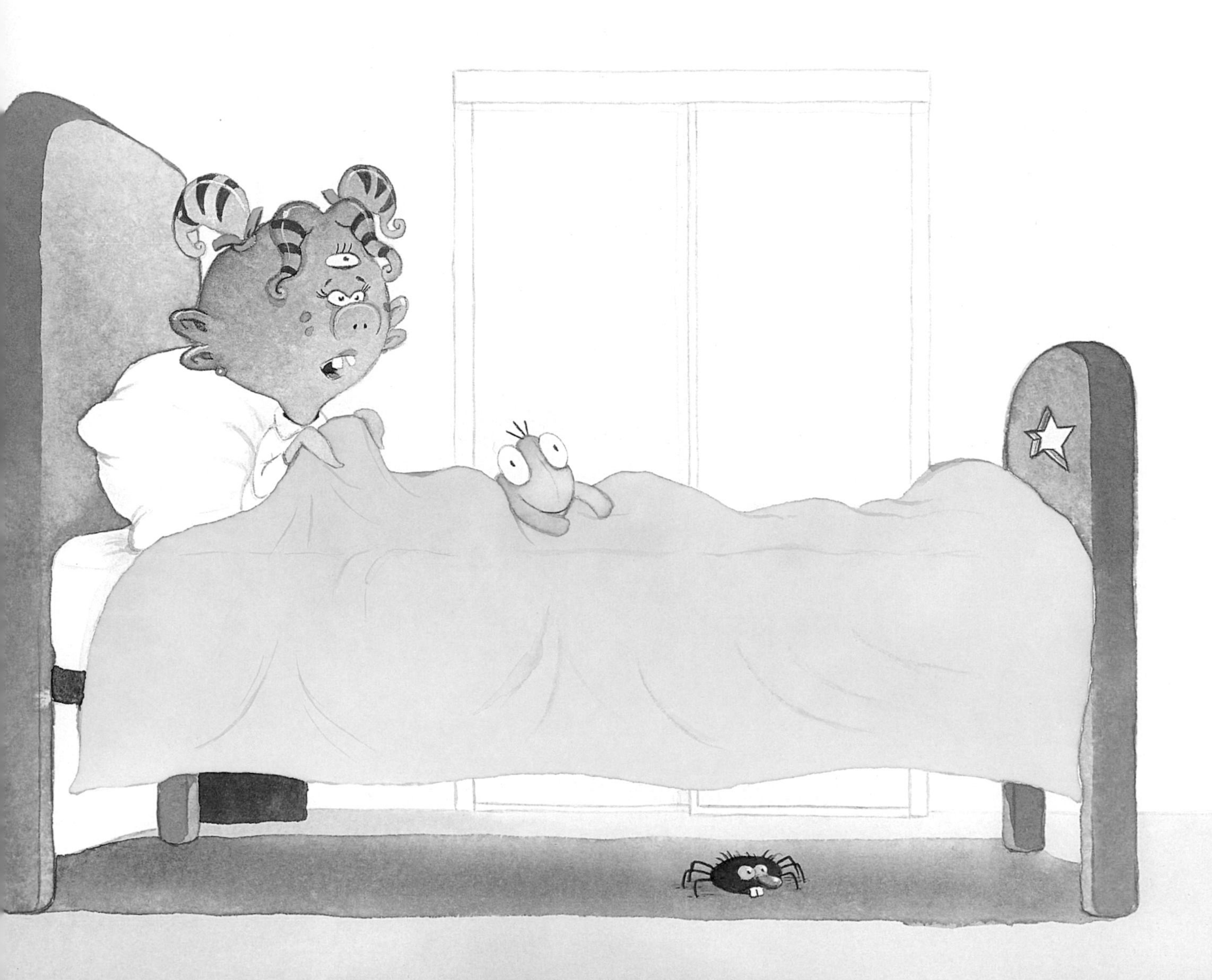

— Tu te trompes ! répond Crystale.
Il y a une maman d'enfant sous ton lit !
Et elle est vraiment terrifiante !
La mère de Crystale lève ses trois yeux au ciel.
— Pour une huitième et dernière fois, Crystale,

B-O-N-N-E N-U-I-T !

Dors sur tes quatre oreilles...

Une fois la mère de Crystale partie,
le monstre et l'enfant se félicitent…
— Huit fois ! C'est un record ! s'exclame Crystale.
— Bravo ! applaudit l'enfant. Nous avons bien travaillé.
— Oui, reconnaît Crystale. Ça, tu peux le dire !
L'enfant s'éloigne du lit.
— Je dois y aller maintenant. Merci pour la soirée.
Ça m'a donné plein de nouvelles idées.
Et il sort par le placard en saluant Crystale de la main.

Samuel dort à poings fermés.
Soudain, un bruit étrange sous le lit le réveille.
Pendant un court instant, il pense que
son imagination lui joue des tours.
Mais le bruit persiste.
Samuel sait ce qu'il lui reste à faire.
— **Maman** ! **Mamaaaaaaaaaan** !
appelle-t-il.

Dès qu'elle entend l'appel
pressant de son fils,
la mère de Samuel accourt.
Elle essaie de le rassurer.
— Les monstres n'existent que dans
ton imagination, dit-elle.
— Non, maman ! Ils existent à la télé,
dans les livres et surtout… sous mon lit !

Fin